Lily la llama ayuda a su rebaño

Por Emma Rashes

Ilustrado por Theresa Jahn

Traducido del inglés al español por el departamento
de servicios de traducción de Stanford Health Care

Este libro está dedicado a todos aquellos que contribuyen para ayudar a su rebaño durante la pandemia de COVID-19.

ISBN: 9798516849824

Mamá encendió las luces y dijo—
¡Lily, despierta! Para tu chequeo anual debes
estar alerta.

Lily se alistó para ver a su **pediatra** adorada.

La doctora Lesly ayuda a Lily a estar sana, ¡como mágica hada!

En la consulta, la doctora Lesly dijo—Te toca una vacuna.

Pero Lily pensó— *yo no quiero ninguna.*

Le preocupó el dolor y dejó escapar un llanto.

—Solo será un pellizquito, no te dolerá tanto.

Mamá preguntó— ¿La **vacuna** es absolutamente importante?
La doctora Lesly explicó— La **vacunación**
para las llamas no debe ser alarmante.

—Una vacuna para Lily
ayudará a mantener
sano y fuerte al rebaño.

Las llamas valientes
como ella, siempre han
ayudado a su rebaño.

—¿Cómo ayudo a todo el rebaño a estar sano? —Lily, se animó a preguntar.

La doctora Lesly le respondió— Con la **inmunidad de rebaño** el efecto de la vacuna se va a diseminar.

Lily entonces preguntó— ¿La **inmunidad de rebaño** cómo funciona?

—A eliminar enfermedades, la **inmunidad de rebaño** soluciona.

—Algunas llamas pueden estar muy enfermas o son muy pequeñas para la vacunación. Tu **vacuna** protege a todo el rebaño y ayuda un montón.

—Esta **vacuna** te dará **inmunidad** contra una enfermedad.

Inmunidad significa que no te puedes enfermar y puedes tener tranquilidad.

—Una enfermedad que se transmite por el rebaño requiere la colaboración de todos para ser frenada. Cuando suficientes llamas tengan **inmunidad** la transmisión será bloqueada.

¡Un rebaño saludable comienza con tu vacuna!

ANTES → DESPUÉS

—Si te pones esta **vacuna**, tú puedes ayudar a frenar la transmisión.

Todo el rebaño estará agradecido. Piénsalo, ¡qué emoción!

—El **vacunarte** no solo a ti te ayuda, sino también a tu abuela, tu vecino y tu hermanito, sin duda.

—Aunque conseguir la **inmunidad de rebaño** no es tarea fácil de alcanzar, tu valentía ayudará a las llamas que amas a cuidar.

—En pocas palabras, **inmunidad de rebaño** quiere decir que suficientes llamas son inmunes tras la vacuna recibir.

Con la **inmunidad de rebaño** podemos ayudar a parar la infección, y seguir con todo el rebaño en mejor dirección.

La doctora Lesly le
dijo a Lily— es solo un
pellizquito.

Está bien —dijo Lily— no
me moveré ni un poquito.

Lily cerró los ojos
mientras la doctora
contaba hasta tres.

¡Guau, no estuvo tan mal!
—exclamó Lily a su vez.

—Lily, por ayudar a lograr la **inmunidad de rebaño** te quiero agradecer.

—No se preocupe, para mí fue un placer.

La doctora Lesly exclamó— ¡Estamos un paso más cerca de que todo el rebaño logre la inmunidad!

Lily contestó— Me alegra mucho poder ayudar a toda la comunidad.

En casa, Lily le contó
a su papá cada palabra
sobre lo aprendido, una
por una.

—¡Ayudaremos a
todo el rebaño con
cada vacuna!

Glosario

Pediatra – Un pediatra es un doctor que cuida a bebés y niños.

Inmunidad – La inmunidad es la capacidad del cuerpo de parar una enfermedad en particular, y normalmente se logra por medio de la vacunación o por infección previa.

Vacuna – Una vacuna es una sustancia que protege a personas y animales de enfermarse de una enfermedad en particular. La vacuna expone al cuerpo a un microbio que ha sido cambiado para que sea seguro y que no te enferme. En el futuro, tu cuerpo recordará este microbio y esto impedirá que te enfermes.

Vacunación – La vacunación es el acto de usar una vacuna para darle a tu cuerpo inmunidad de una enfermedad.

Inmunidad de rebaño – La inmunidad de rebaño es cuando suficientes personas en una comunidad están protegidas de una enfermedad y entonces es menos probable que la enfermedad se propague en esa comunidad.

Vocabulario adicional
Rebaño, desconfianza, diseminar, transmite, bloqueada

Preguntas para debatir

- ¿Alguna vez te han vacunado? ¿Cómo fué?

- ¿Cómo crees que Lily se sintió en el consultorio médico? ¿Alguna vez te has sentido así?

- ¿Cómo ayudó Lily a las otras llamas de su rebaño? ¿Puedes contarnos un ejemplo en donde hayas ayudado a tu comunidad?

- ¿Recuerdas lo que Lily le enseñó a papá sobre las vacunas? ¿Qué le contarás a tu familia y amigos después de leer este libro?

Sobre la autora

Emma Rashes

Emma Rashes es estudiante de último año universitario y de un programa de maestría en la Universidad de Stanford donde estudia biología. Siempre le ha encantado la ciencia y espera hacer la carrera de medicina. Emma escribió *Lily la llama ayuda a su rebaño* para compartir su amor por la ciencia y enseñar a otros sobre la importancia de la vacunación.

Sobre la ilustradora

Theresa Jahn

Theresa Jahn ha trabajado como diseñadora gráfica por más de 25 años, pero ama el arte desde que era pequeña. Así como ella fue influenciada por creadores de libros educativos, televisión, y cine, ella espera que su arte pueda contar una historia y compartir un mensaje que permanezca en la memoria de la gente joven por muchos años.

Agradecimientos

Agradezco a mi familia, amigos y mentores por su apoyo, consejos y ediciones durante este proceso.

Agradezco especialmente a la Dra. Susan McConnel, Andrew Todhunter y el Dr. Rishi Mediratta por su constante guía y motivación.

Agradezco profundamente a Theresa Jahn por su consideración, paciencia y visión y por su hermoso trabajo para hacer cobrar vida a Lily y su manada.

Agradezco a mis compañeros del curso *The Biology Senior Reflection* y al equipo de docentes de la asignatura optativa de COVID-19 en Stanford University por sus invaluables observaciones.

Agradezco sinceramente al Dr. Benjamin Lindquist y al Dr. Shane Crotty por sus aportaciones y conocimiento compartido desde las etapas iniciales de este proyecto.

Agradezco al Dr. Charles Prober, Aarti Porwal y a The Stanford Center for Health Education por conseguir que el libro sea más accesible y por hacer que *Lily la llama ayuda a su rebaño* esté disponible a un público más extenso.

Agradezco de corazón a la Dra. Renee Scott por sus consejos y por crear un espacio durante mi experiencia en Stanford que me permitiera aprender sobre la educación temprana y la alfabetización.

Agradezco al el departamento de servicios de traducción de Stanford Health Care, Beatriz Rodriguez, Claudia Soronellas-Brown, Dra. Karina Baum, Diego Ornique, y Lino Covarrubias por su ayuda con la traducción al español.

Agradezco, más que nada, a mi mamá por su apoyo incondicional y por ser la principal admiradora de la llama Lily.